中国画线描

百龙画谱

于艳华 绘

天津出版传媒集团
天津杨柳青画社

于艳华

中国美术家协会会员，北京画院王明明工作室画家。受家庭熏陶，自幼酷爱绘画，先后师从刘昆、李昆、萧玉田、苏柏斗等书画名家。

图书在版编目（CIP）数据

百龙画谱/于艳华绘. —天津：天津杨柳青画社，2014.3（2024.3重印）
（中国画线描）
ISBN 978-7-5547-0206-2

Ⅰ.①百... Ⅱ.①于... Ⅲ.①龙—工笔画—国画技法 Ⅳ.①J212.28

中国版本图书馆CIP数据核字(2014)第001697号

出 版 者：天津杨柳青画社
地　　址：天津市河西区佟楼三合里 111 号
邮政编码：300074

BAILONG HUAPU
出 版 人：刘岳
编辑部电话：(022)　28379182
市场营销部电话：(022)　28376828 28374517
28376928 28376998
传　　真：(022)　28376968
邮购部电话：(022)　28350624
制　　版：天津市锐彩数码分色技术有限公司
印　　刷：廊坊市伍福印刷有限公司
开　　本：1/16　787mm×1092mm
印　　张：6
版　　次：2014 年 3 月第 1 版
印　　次：2024 年 3 月第 9 次印刷
书　　号：ISBN 978-7-5547-0206-2

定　　价：25.00 元

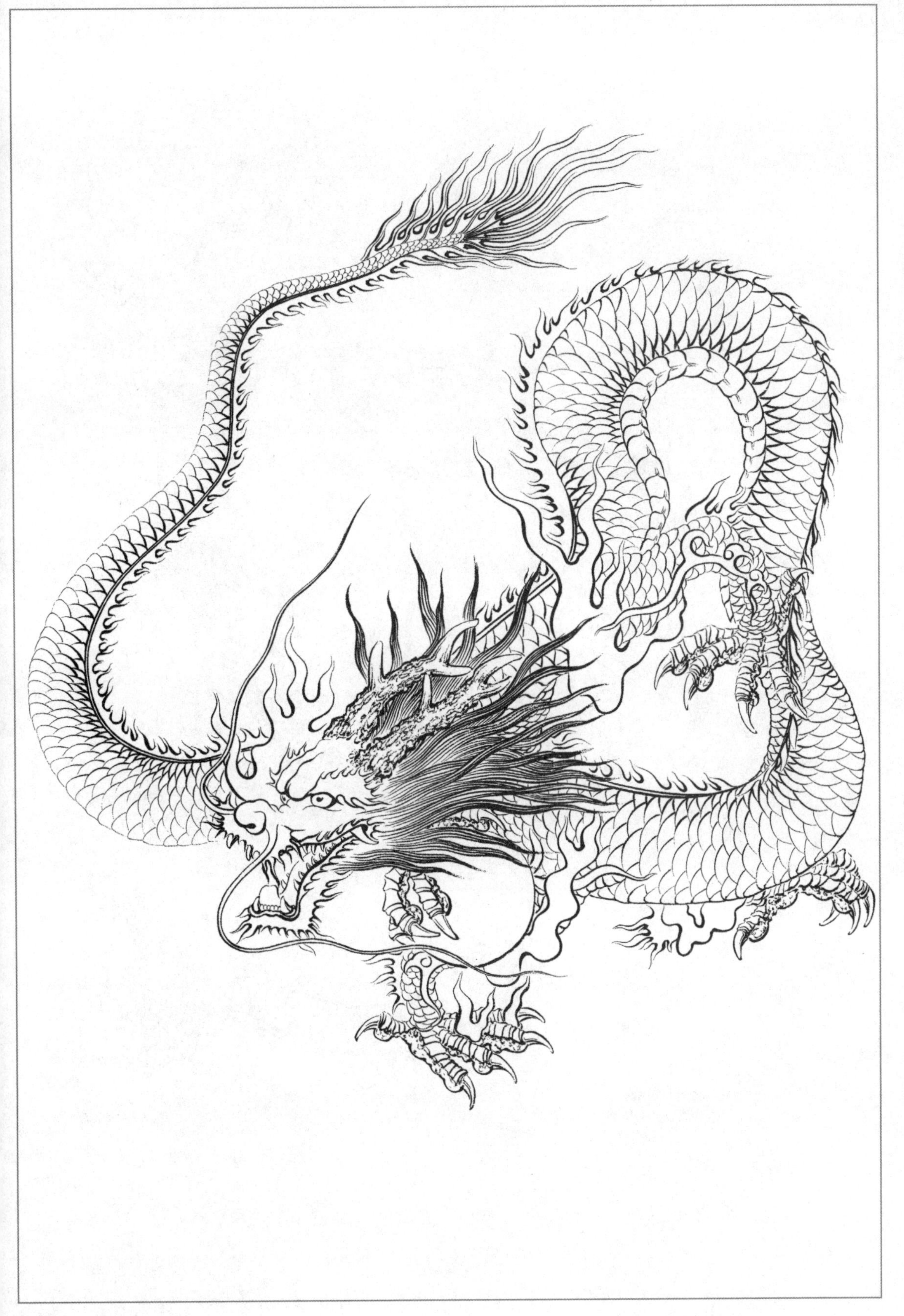